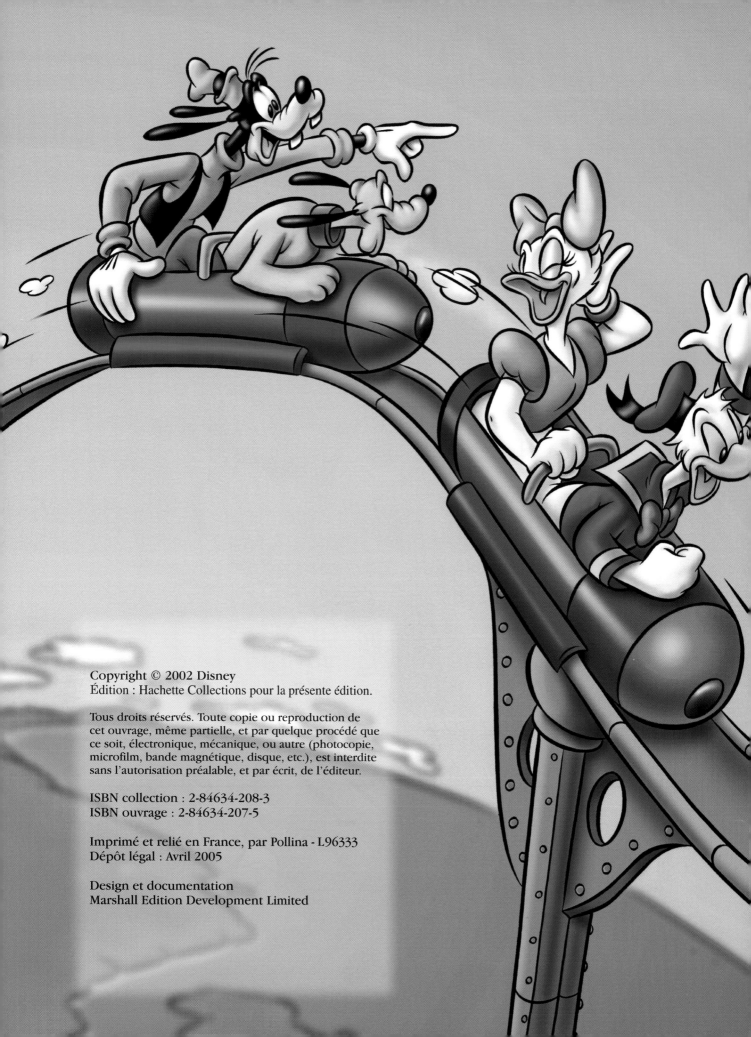

ISBN collection : 2-84634-208-3
ISBN ouvrage : 2-84634-207-5

Imprimé et relié en France, par Pollina - L96333
Dépôt légal : Avril 2005

Design et documentation
Marshall Edition Development Limited

DISNEY
PRÉSENTE

Le Monde Merveilleux de la Connaissance

L'HISTOIRE ANCIENNE

Comment utiliser ton encyclopédie

Avec Mickey, Minnie, Donald, Daisy, Dingo et Pluto, tu vas embarquer pour la grande aventure de la connaissance. En chemin, tu découvriras le secret des sciences, de la nature, du monde où nous vivons, du passé et bien plus encore. Attache bien ta ceinture, attention au départ !

Regarde à cet endroit pour trouver le résumé du sujet traité sur cette page.

Les légendes t'expliquent *ce qui se passe dans les images.*

Les oreilles de Mickey *te font découvrir le sujet principal.*

En observant les images, *tu peux apprendre beaucoup, avant même d'avoir lu le texte.*

Recherche les pages spéciales où Mickey examine de plus près les idées importantes.

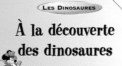

Les pages numérotées de Mickey *t'aident à trouver ce que tu cherches. N'oublie pas qu'il existe aussi un glossaire et un index à la fin de chaque volume.*

Les chiffres *te guident pas à pas dans le déroulement d'un événement.*

Mickey t'indique quelles informations complémentaires tu dois rechercher dans les autres volumes de ton encyclopédie.

LES DINOSAURES

À la découverte des dinosaures

Personne n'a jamais vu un dinosaure vivant, mais nous savons pourtant qu'ils ont existé grâce aux nombreux fossiles qui ont été retrouvés un peu partout dans le monde.

Les fossiles sont les restes des plantes et des animaux disparus depuis longtemps et préservés dans la pierre. Les fossiles de dinosaures les plus répandus sont les os et les dents, mais on a également retrouvé des empreintes d'excréments, d'œufs, de traces de pattes et de relief de peau. La plupart des fossiles sont découverts par des experts nommés paléontologues, des scientifiques qui étudient la vie préhistorique. Ils rassemblent les os et tous les restes afin d'apprendre le plus de choses possible sur les dinosaures.

Excréments de dinosaure fossilisés.

Empreintes de peau de dinosaure.

DES FOUILLES POUR RETROUVER DES OS
Les os de dinosaures fossiles doivent être extraits de la roche avec beaucoup de précaution, et avec des outils variés : des burins, par exemple, mais aussi des brosses souples. Quand on trouve des os très grands dans un bloc de pierre, il faut les envelopper dans de la toile et du plâtre pour les protéger pendant le transport.

Chaque os est photographié avant d'être retiré de la roche.

Les os de grande taille, enveloppés dans du plâtre, doivent être manipulés avec beaucoup de précaution.

Des ouvriers enveloppent un os dans de la toile et du plâtre.

DU DINOSAURE AU FOSSILE

1 Quand le dinosaure meurt, sa chair se putréfie et disparaît. Il ne reste plus que les os.

2 Les os sont peu à peu recouverts par des couches de boue et de sable.

3 En quelques millions d'années, la boue, le sable et les os se transforment en roche.

4 Les couches de roche sont usées par le vent et la pluie et les os fossilisés, très durs, finissent par apparaître.

Pour parvenir à exhumer des fossiles, les fouilles peuvent durer des semaines et les scientifiques installent le plus souvent un campement sur le site.

À LA DÉCOUVERTE DES DINOSAURES

Les os enveloppés sont prêts à être chargés sur des camions.

Un expert en fossiles est en train de ciseler la roche au burin.

RECONSTITUTION DU SQUELETTE
Dans un laboratoire ou un musée, les spécialistes finissent de détacher l'os de la pierre. Ils reconstituent autant que possible le squelette. Grâce aux marques laissées sur les os par les muscles, ils parviennent à s'approcher le plus possible de la réalité.

Préparation de la reconstitution du squelette.

La position de chaque os est reportée sur une carte du site.

Des paléontologues en train d'extraire des restes de dinosaure.

Des enfants à la recherche de fossiles.

TOI AUSSI TU PEUX TROUVER DES FOSSILES
Tout le monde peut découvrir des fossiles, bien qu'ils ne soient pas tous de dinosaures. Cherche sur la plage ou aux endroits où la roche est sédimentaire, comme le grès ou le schiste. Il te faut des outils simples : un marteau et un burin, par exemple. Demande à un adulte de t'aider à tailler la roche, tu pourrais découvrir de superbes fossiles à l'intérieur.

POUR EN SAVOIR PLUS
LA TERRE : les fossiles
L'HISTOIRE ANCIENNE : les fouilles archéologiques

18

Un monde en pleine tran...

De grands changements... le monde à la période du... 70 millions d'années avant... Le territoire se divise pour... nouveaux continents. De n... de dinosaures herbivores a... et les dinosaures carnivore... également très nombreux.

LES ANIMAUX DU CRÉTACÉ
De gigantesques dinosaures chas... parcouraient le territoire. Les ois... volaient au-dessus d'eux en comp... de grands reptiles volants, tandis... les ichtyosaures nageaient dans la...

Le corythosaurus, un dinosaure herbi...

POUR EN SAVOIR PLUS
LA TERRE : les fossiles
L'HISTOIRE ANCIENNE : les fouilles archéologiques

C'EST INCROYABLE !

★ Les ailes déployées du *pteranodon* mesuraient environ 7 m d'un bout à l'autre. C'est à peu près deux fois plus large qu'une voiture de taille moyenne.

Tes personnages préférés connaissent des détails incroyables qui étonneront tes amis.

UN MONDE EN PLEINE TRANSFORMATION

Le monde au crétacé
Terre Mer peu profonde Mer profonde

Le ptéranodon, *un reptile volant.*

L'ichtyosaurus, *un reptile marin.*

UN CLIMAT CHANGEANT
Au début de la période du crétacé, le climat était chaud en permanence, mais il y avait aussi, chaque année, des saisons humides et des saisons sèches.

C'EST INCROYABLE !

★ Les ailes déployées du *pteranodon* mesuraient environ 7 m d'un bout à l'autre. C'est à peu près deux fois plus large qu'une voiture de taille moyenne.

L'ichtyornis, *un oiseau.*

PLANTES À FLEURS
Les plantes à fleurs sont probablement apparues près de l'équateur 120 millions d'années environ avant aujourd'hui. Les abeilles et d'autres insectes volants ont propagé leur pollen et bientôt des fleurs se sont mises à pousser partout. Les fougères et les cycas sont alors devenus beaucoup moins abondants.

Le tarbosaurus, *un grand dinosaure chasseur.*

Plantes à fleurs.

POUR EN SAVOIR PLUS
LES INSECTES ET LES ARAIGNÉES : les abeilles
LA VIE VÉGÉTALE : les plantes à fleurs

Les complices de Mickey font eux-mêmes quelques expériences.

fenêtre couleur met informations ortantes aleur.

Sommaire

L'histoire ancienne

L'histoire humaine se déroule sur 500 000 ans, de l'âge de pierre à l'ère spatiale. Elle nous raconte les débuts des civilisations, la création des empires, et nous explique comment le monde est devenu ce qu'il est aujourd'hui.

Les premiers peuples ont fait les grandes découvertes ; ils ont appris à construire des maisons, cultiver la terre, communiquer, et se gouverner. Le monde dans lequel nous vivons a été bâti sur le travail des générations passées, et il change encore aujourd'hui. Chaque année qui passe est un chapitre qui s'ajoute à notre incroyable histoire.

L'aventure humaine

L'histoire humaine commence il y a 65 millions d'années, lorsque des animaux appelés primates firent leur apparition sur Terre. Au fil de milliers d'années, leurs corps sont devenus semblables à ceux des singes, puis à ceux des humains. Leurs cerveaux grossirent, et ils apprirent à utiliser le langage, à faire du feu, et à fabriquer des outils. Les hommes modernes, les gens comme nous, ont évolué à partir de ces créatures il y a environ 100 000 ans.

MOMENTS DE L'HISTOIRE HUMAINE

D'environ 15 000 ans avant J.-C. à l'an 1950 de notre ère, c'est-à-dire de l'âge de pierre à l'ère spatiale, beaucoup de civilisations sont apparues dans diverses régions du monde. Tout au long de l'histoire, la vie quotidienne des gens a été en perpétuelle évolution.

L'homme moderne, *à partir de l'an 100 000 avant J.-C.*

La civilisation égyptienne, *de 3100 avant J.-C. à 30 avant J.-C. environ.*

L'ÂGE DE PIERRE, **15 000 ANS AVANT J.-C.**

Les premiers fermiers, *à partir de 9000 avant J.-C.*

La colonisation *des îles du Pacifique, vers 2 000 ans avant J.-C.*

2500 AVANT J.-C.

Dynastie Shang, *de 1650 avant J.-C. à 1027 avant J.-C.*

L'empire musulman *de 700 à 140 de notre ère.*

L'empire khmer, *de 802 à 1402.*

La route de la soie *relie l'Asie à l'Europe, vers l'an 1200.*

Châteaux médiévaux, *1200.*

La civilisation inca, *à partir de l'an 1440.*

L'empire du Bénin, *de 1400 à 1900.*

La Renaissance, *de 1400 à 1550.*

Formation des États-Unis d'Amérique, *de 1620 à 1865.*

La Révolution française, *1789.*

Chronologie de l'histoire humaine, de l'âge de pierre à l'ère spatiale.

Civilisation de la vallée de l'Indus, à partir de 2500 avant J.-C.

Civilisations grecque et romaine, à partir de 1400 avant J.-C.

Civilisation olmèque, de 1200 avant J.-C. à 400 avant J.-C. environ.

Début de la construction de la Grande Muraille de Chine, 214 avant J.-C.

NAISSANCE DU CHRIST, L'AN **1** DE NOTRE ÈRE

Les vêtements des enfants ont changé au cours de l'histoire.

Éruption du Vésuve, an 79.

Dynastie Heian, vers 800.

Les Vikings arrivent en Amérique, 1001.

AN 1000 DE NOTRE ÈRE

Civilisation aztèque, 1200 à 1520.

La révolution industrielle, à partir de 1750.

La Première Guerre mondiale, de 1914 à 1918.

L'ÈRE SPATIALE, 1950

a révolution sse, 1917.

La Longue Marche, 1934-1935.

La Deuxième Guerre mondiale, 1939-1945.

MESURER LE TEMPS

À travers l'histoire, les peuples ont mesuré le temps de différentes manières. Certains ont élaboré des calendriers basés sur le Soleil et la Lune. D'autres ont élaboré des calendriers basés sur les règnes de leurs souverains. Aujourd'hui, la plupart des historiens se réfèrent au calendrier chrétien, qui divise le passé en deux parties : avant Jésus-Christ (J.-C.), et après Jésus-Christ, c'est-à-dire notre ère.

2000 avant J.-C.	L'an 1 de notre ère	L'an 2000
Les années sont comptées à l'envers.	Les années sont comptées normalement.	

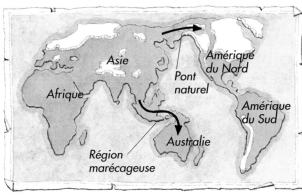

Migration pendant la dernière ère glaciaire, 20 000 ans avant J.-C.

DÉPLACEMENTS AUTOUR DU MONDE

Beaucoup de scientifiques croient que les premiers humains sont apparus en Afrique. Vers l'an 20 000 avant J.-C., ils avaient déjà migré partout dans le monde. Ils firent les plus longs voyages pendant l'ère glaciaire, lorsque la plupart des mers étaient gelées, laissant des ponts naturels de terre ferme.

POUR EN SAVOIR PLUS
L'ESPACE : l'ère spatiale
LES VOYAGEURS ET LES EXPLORATEURS : la migration

Les premiers fermiers

Les premiers fermiers vivaient au Moyen-Orient. Environ 9 000 ans avant J.-C., les hommes ont découvert que, si l'on déposait des grains de blé et d'orge sur de la terre humide, ils poussaient et produisaient des graines. En 6000 avant J.-C. environ, les peuples d'Asie du Sud-Est savaient cultiver le riz. En 5000 avant J.-C., les peuples d'Amérique centrale et du Sud cultivaient la pomme de terre et le maïs. 3 000 ans avant J.-C., en Afrique, on cultivait le millet et l'igname.

Le Moyen-Orient, 9 000 ans avant J.-C.

LES PREMIÈRES COLONIES

Les premiers villages firent leur apparition vers l'an 9000 avant J.-C., au Moyen-Orient. Les gens ne quittaient les villages que pour aller chasser, plutôt que de passer leurs vies à errer à la recherche de nourriture.

Une des premières colonies du Moyen-Orient, 9000 avant J.-C.

LES PREMIÈRES RÉCOLTES

Il fallut beaucoup d'années d'apprentissage avant que les fermiers puissent être assurés de cultiver des récoltes comestibles. Les premiers fermiers cultivaient du blé et de l'orge sauvages. Plus tard, ce blé se croisa naturellement avec un type d'herbe, produisant un nouveau blé à grosses graines.

Les gens utilisaient des outils appelés faucilles pour couper le blé et l'orge mûrs.

Orge.

Blé.

Pommes de terre.

Riz.

Les agriculteurs modernes cultivent les mêmes plantes que les premiers fermiers.

Les chiens furent *les premiers animaux à être dressés, environ 20 000 ans avant J.-C.*

Maisons à Çatal Höyük.

LES PREMIÈRES VILLES

Jéricho, en Jordanie (fondée aux alentours de l'an 8000 avant J.-C.), et Çatal Höyük, en Turquie (fondée aux alentours de l'an 6000 avant J.-C.), furent les premières villes du monde. Leurs habitants vivaient dans des maisons faites de briques de boue séchée au soleil, entourées de solides murs d'enceinte pour se protéger.

COMMERCE ET TROC

Les villes étaient d'importants centres de commerce. Les fermiers apportaient au marché les produits de leurs récoltes, et les chasseurs apportaient des fourrures et des peaux de bêtes. Les potiers, les tisserands et les ferronniers vinrent vivre en ville pour pouvoir vendre leurs marchandises. En ce temps-là, l'argent n'existait pas encore. Les gens faisaient du troc, échangeant les articles qu'ils fabriquaient contre ceux d'égale valeur dont ils avaient besoin.

Les yeux étaient probablement faits de pierres semi-précieuses.

Récipient taillé dans la pierre, Moyen-Orient (3000 à 2340 avant J.-C.).

Les moutons et les chèvres étaient domestiqués et élevés par les fermiers (9000 à 7000 avant J.-C.).

C'EST INCROYABLE !

★ À Çatal Höyük, l'entrée principale des maisons était dans le toit, pour se protéger des envahisseurs. Les gens grimpaient à une échelle pour rentrer chez eux.

Les premiers fermiers travaillaient dur : toutes leurs récoltes étaient faites à la main.

POUR EN SAVOIR PLUS

LES GRANDES INVENTIONS : les premiers outils
LA VIE VÉGÉTALE : les méthodes agricoles

On utilisait la paille *pour faire les lits et recouvrir les toits et les sols.*

Les faucilles étaient *de simples outils tranchants, avec des poignées en bois et des lames de pierre taillées comme des rangées de dents.*

13

L'Égypte ancienne et ses voisins

Égypte ancienne, 3 100 à 30 ans avant J.-C.

 L'Égypte a été fondée en 3100 avant J.-C., lorsque deux petits royaumes se sont unis pour être dirigés par un souverain unique. Les sujets appelaient leur roi un pharaon et croyaient qu'il était un dieu. Les pharaons régnèrent sur l'Égypte durant les 3 000 années qui suivirent. L'Égypte devint riche et puissante, et les pharaons exigeaient des tributs, ou des cadeaux de valeur, de leurs voisins plus faibles.

PROCESSION FUNÉRAIRE

Les Égyptiens croyaient que l'esprit des humains ne pouva[it] survivre après la mort que si leur corps était préservé. C'est pourquoi ils momifiaie[nt] les morts en les faisant séche[r] dans du sel et en les entoura[nt] de bandages. Les momies des pharaons et des personnalité[s] importantes étaient amenées en procession à leur tombeau sur des barges funéraires.

Les pyramides *étaient les tombeaux des premiers souverains égyptiens.*

La momie du pharaon *repose à l'intérieur d'un cercueil rehaussé d'or.*

La barge funéraire *traversait le Nil, avant d'être accompagnée jusqu'à la pyramide.*

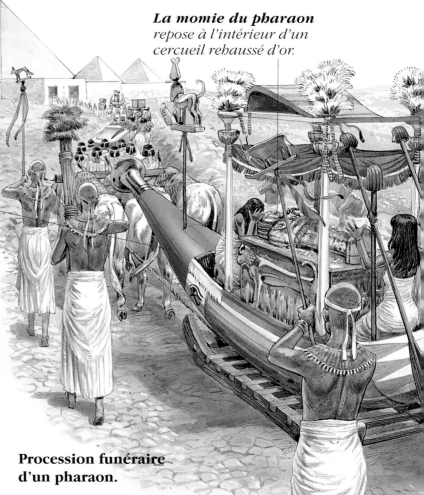

C'EST INCROYABLE !

★ On ne se contentait pas de momifier les gens. On faisait aussi des momies avec les chats, les chiens et les faucons. Certains étaient des animaux familiers, momifiés pour partir au royaume des morts avec leurs maîtres.

Procession funéraire d'un pharaon.

Peuples de Nubie et d'Afrique, voisins de l'Égypte, apportant des cadeaux au pharaon.

LES VOISINS DE L'ÉGYPTE

Il y avait beaucoup de civilisations riches et puissantes près de l'Égypte. Les Sumériens, les Babyloniens et les Assyriens vivaient dans l'Iraq d'aujourd'hui. Les Phéniciens, les Cananéens et les Hébreux vivaient sur les rives orientales de la Méditerranée. Souvent ils faisaient du commerce pacifiquement, mais il leur arrivait de se battre pour conquérir des territoires.

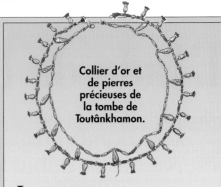

Collier d'or et de pierres précieuses de la tombe de Toutânkhamon.

LE TOMBEAU DE TOUTÂNKHAMON

Toutânkhamon était un jeune pharaon qui est mort vers 1350 avant J.-C. Il fut inhumé dans un tombeau rempli de joyaux dans la Vallée des Rois. Sa tombe est restée secrète pendant plus de 2 000 ans, avant d'être découverte en 1922.

Fermier utilisant un chadouf pour tirer de l'eau et irriguer ses champs.

Coffre plein de joyaux pour le pharaon dans son après-vie.

Poids pour contrebalancer le seau rempli d'eau.

Utiliser un chadouf sur le Nil.

CADEAU DU NIL

Les Égyptiens appelaient leur pays « le cadeau du Nil ». Presque chaque année, le Nil inondait ses rives, apportant de l'eau fraîche et de la boue fertile aux terrains desséchés. Sans ce « cadeau », leurs récoltes n'auraient pas pu pousser.

Les pleureuses étaient payées pour gémir et sangloter.

Les prêtres chantaient des prières.

POUR EN SAVOIR PLUS
LES SITES CÉLÈBRES : la grande pyramide
LA PEINTURE ET LA SCULPTURE : l'art égyptien

L'Inde de l'Antiquité

De nombreux changements sont intervenus au début de l'histoire de l'Inde. De 2500 à 1500 avant J.-C., les populations de la vallée de l'Indus, en Inde du Nord, étaient composées de fermiers. Puis des envahisseurs, appelés Indo-Aryens, sont arrivés. Pendant les milliers d'années qui ont suivi, la civilisation hindoue s'est développée. C'était un mélange de coutumes des hindous de l'Antiquité et des croyances indo-aryennes. L'Inde était divisée en royaumes, gouvernés par des guerriers hindous. Les lois et les coutumes hindoues ont été recueillies dans les Veda, textes sacrés de l'hindouisme.

Le royaume d'Ashoka à son apogée, en 260 avant J.-C.

La capitale, Pataliputra, était entourée de solides remparts de bois.

Les sentinelles guettaient les ennemis depuis de hautes tours.

L'armée de Chandragupta partant en guerre.

Les défenses des éléphants étaient renforcées de métal.

Les féroces éléphants de guerre piétinaient les ennemis.

16

LE PREMIER EMPIRE HINDOU

Chandragupta était un guerrier hindou. Avant qu'il n'arrive au pouvoir, l'Inde était divisée en milliers de petites colonies, aux langues et aux coutumes différentes. En 322 avant J.-C., il avait créé un nouvel empire, la dynastie maurya, qui unifiait et gouvernait une grande partie du nord et du centre de l'Inde.

Les soldats hindous se battaient avec des arcs, des flèches et des lances.

LA CIVILISATION DE LA VALLÉE DE L'INDUS

En 2500 avant J.-C., deux grandes villes, Harappa et Mohenjo-Daro, furent construites dans la vallée de l'Indus, aujourd'hui le Pakistan et le nord de l'Inde. Ces villes contenaient des forts, des palais, des bains en plein air et de confortables maisons de briques. La vallée de l'Indus était peuplée de fermiers, de commerçants, d'artistes et d'artisans, et gouvernée par des prêtres-rois.

Le fort royal de Mohenjo-Daro.

Le roi Ashoka ordonna que des colonnes, où ses nouvelles lois étaient gravées, soient édifiées dans tout son royaume.

C'EST INCROYABLE !

★ Alors que le reste du monde n'avait pas encore de plomberie, les maisons de la vallée de l'Indus étaient déjà équipées de salles de bains, d'eau courante et d'égouts.

Le lion d'Ashoka est un symbole de l'Inde moderne.

NOUVELLES LOIS RELIGIEUSES

Le roi Ashoka était le petit-fils de Chandragupta. C'était aussi un redoutable guerrier. Toutefois, en 262 avant J.-C., après de nombreuses batailles contre le peuple Kalinga, au cours desquelles 100 000 personnes furent tuées, il réalisa que la violence était une chose terrible. Il devint bouddhiste et créa de nombreuses nouvelles lois basées sur les enseignements pacifistes du bouddhisme.

ALLER À LA BATAILLE À DOS D'ÉLÉPHANT

De 320 à 185 avant J.-C., les guerriers hindous faisaient la guerre pour s'enrichir et conquérir de nouveaux territoires. Ils partaient en guerre à dos d'éléphant et dans des chars tirés par des chevaux. Les éléphants, bien dressés, étaient à la tête des armées lors des batailles.

POUR EN SAVOIR PLUS
LES MAMMIFÈRES : les éléphants
LA PEINTURE ET LA SCULPTURE : l'art hindou

Le premier empire chinois

Pendant des milliers d'années, la Chine a été divisée en royaumes. Puis, en 221 avant J.-C., le prince Zheng, du royaume de Qin, conquit les autres royaumes et s'autoproclama Shi Huangdi, premier empereur souverain de Chine. Pour protéger son nouvel empire des nomades belliqueux qui vivaient près de ses frontières occidentales, il donna l'ordre de construire un immense mur de défense, la Grande Muraille de Chine.

L'empire Qin, 221 avant J.-
La Grande Muraille de Chi

C'EST INCROYABLE !

★ Quand il est mort, Shi Huangdi a été enterré avec 6 000 guerriers en terre cuite grandeur nature pour le protéger et garder sa tombe.

Les officiers *conduisaient des chars tirés par des chevaux.*

Les fantassins se battaient *avec des lances et des hallebardes, qui étaient faites de lames de bronze affûtées au bout de longs bâtons.*

ÉTATS EN GUERRE

La période située entre 481 et 221 avant J.-C., pendant laquelle la Chine était divisée en royaumes rivaux, est appelée l'époque des États en guerre. Le prince Zheng réussit à vaincre ses rivaux grâce à une armée puissante et bien organisée.

La garde impériale de l'armée de Qin.

Le trou dans le centre permettait de passer une ficelle dans cette pièce pour la conserver.

Pièce de bronze Qin, 220 avant J.-C.

DE NOUVELLES LOIS

Quand le prince Zheng est devenu empereur, il a effectué de nombreuses réformes pour s'assurer un parfait contrôle de son empire. Il a édicté de nouvelles lois et nommé de nouveaux fonctionnaires. Il a aussi fait frapper des monnaies, instauré des poids et mesures communs à toute la Chine, et fait construire des routes et des ponts.

LE PREMIER EMPIRE CHINOIS

AVANT L'EMPIRE

La première dynastie, ou famille régnante, de Chine, était la dynastie Shang. Elle a régné de 1650 à 1027 avant J.-C. Ses sujets vivaient de l'agriculture ou de la ferronnerie, où certains excellaient. La première écriture chinoise fut inventée sous le règne des Shang.

Récipient en bronze Shang, utilisé pour les offrandes aux esprits des ancêtres.

Érudit chinois écrivant avec un pinceau.

BRÛLER LES LIVRES

Shi Huangdi ordonna que les écrits qui n'étaient pas en accord avec ses idées soient brûlés ou détruits. De cette façon, il espérait unifier son empire. Il a aussi tenté de détruire les écrits de Kongzi (Confucius), l'un des penseurs les plus éminents de Chine.

Les soldats à cheval (la cavalerie) étaient équipés d'arcs, d'épées et de lances.

Les arbalétriers utilisaient leur arme pour envoyer de courtes et lourdes flèches.

Les soldats portaient des tuniques faites de cuir, de coton matelassé et de plaques de fer.

POUR EN SAVOIR PLUS
LES SITES CÉLÈBRES : la Grande Muraille de Chine
LES PERSONNAGES CÉLÈBRES : Kongzi

Le monde méditerranéen

Entre les années 800 avant J.-C. et 500 de notre ère, le bassin méditerranéen était le berceau de deux grandes civilisations. Les Grecs de l'Antiquité étaient des marins, des agriculteurs et des artisans qui vivaient dans de petites cités indépendantes. Leur apogée se situe entre 500 et 350 avant J.-C. Les Romains de l'Antiquité étaient de grands soldats, de grands constructeurs et des ingénieurs. Vers l'an 200 de notre ère, ils régnaient sur un empire qui s'étendait de l'Allemagne à l'Afrique du Nord et au Moyen-Orient.

L'Empire romain à son apogée, en 200 de notre ère.

LA VILLE DE ROME

Rome, ville active, bruyante et surpeuplée, était la capitale de l'Empire romain. Vers l'an 300 de notre ère, plus d'un million de gens y vivaient. Les empereurs et les riches citoyens se faisaient construire de splendides villas ou des palais. Les gens du peuple vivaient dans de simples appartements.

UNE VILLE ENSEVELIE

Pompéi était une riche cité du sud de Rome. En 79 de notre ère, elle fut ensevelie sous la boue et la cendre après l'éruption du Vésuve, le volcan tout proche. La plupart des gens furent tués par les gaz nocifs. Toutefois, les couches de cendre ont conservé les bâtiments et leurs contenus, qui furent découverts depuis.

Moulages de gens tués à Pompéi.

Ville de Rome, en 200 de notre ère.

Le forum, *lieu de rencontre où se tenaient les marchés.*

La basilique, où se *trouvaient les bureaux du gouvernement et les cours de justice.*

Le pala
impéria

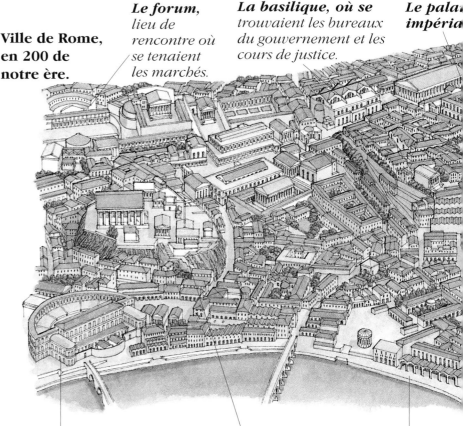

Le théâtre de Marcellus, *où des milliers de gens venaient voir des pièces.*

Le mont du Capitole, *où s'élève le grand temple de Jupiter, le plus important des dieux romains.*

Le marche *aux bestia*

Casque.

Bouclier.

Armure.

Tunique de laine.

Épée.

Lance.

dales.

Fantassin romain.

L'ARMÉE ROMAINE

Les soldats romains étaient les mieux entraînés du monde et avaient les armes les plus perfectionnées. Ils ont construit des routes longues et droites, et des murailles et des forts pour prévenir toute attaque contre l'Empire romain.

Le Colisée, où de valeureux gladiateurs s'affrontaient et mouraient.

L'aqueduc faisait venir l'eau fraîche des montagnes de Rome.

L'ACROPOLE D'ATHÈNES

Athènes était la plus puissante cité de la Grèce antique. Les Athéniens étaient à la tête des armées grecques, lors des combats contre les envahisseurs perses en 480 avant J.-C. Les Perses attaquèrent l'Acropole, une forteresse de pierre qui s'élevait dans le centre d'Athènes, mais les Grecs les repoussèrent. Par la suite, les Athéniens construisirent de splendides nouveaux temples sur l'Acropole.

L'Érechthéion, temple d'un dieu mythique de l'Antiquité.

Le Parthénon, dédié à Athéna, déesse protectrice de la ville.

L'Acropole d'Athènes, en 450 avant J.-C.

Le temple de Nika (Victoire).

C'EST INCROYABLE !

★ Les Romains sont les inventeurs du premier vrai béton, un mélange d'eau, de cailloux et de cendre volcanique.

circus Maximus, âtre de spectaculaires urses de chars.

POUR EN SAVOIR PLUS

LA TERRE : les volcans
LE SPORT : les Jeux olympiques

Enquêter sur le passé

Les archéologues, les gens qui étudient le passé, ont différentes façons de découvrir comment les gens vivaient autrefois.

Les archéologues peuvent lire d'anciens documents ou étudier les ruines de bâtiments antiques. Ils peuvent aussi se servir des techniques scientifiques modernes, comme les scanners ou de puissants microscopes, pour voir ce que renferment les bandages d'une momie, ou pour examiner de minuscules grains de pollen provenant de plantes qui ont poussé il y a longtemps. Les ondes sonores peuvent trouver des objets profondément enterrés dans le sol, les rayons X peuvent révéler des armes antiques dans des amas de rouille et les ordinateurs peuvent reconstituer des ruines.

CREUSER LE PASSÉ

Les excavations archéologiques nous permettent d'acquérir des informations su[r] le passé. Les archéologues dégagent une p[ar] une des couches de terre, pour retrouver des vestiges de l'Antiquité. Les bijoux, le cu[ir] et les morceaux d'étoffe nous permettent de savoir comment les gens s'habillaient ; les armes, comment ils se battaient et mouraient ; les ustensiles de cuisine et les ordures, ce que les gens mangeaient[.]

On prend des photos *des peintures murales et des autres vestiges.*

Les archéologues *établissent des cartes et des plans du site.*

Des grilles *sont déposées au-dessus des objets à demi enfouis, que l'on photographie ainsi pour savoir leur taille exacte.*

On utilise des tamis *pour retrouver des morceaux de poteries ou des pièces dans le sable et les cailloux.*

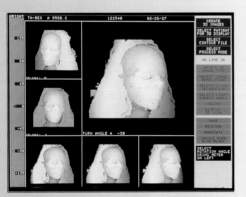

Image scannée de la tête de Ta-bes, une femme momifiée de l'Égypte ancienne.

LES MOTS ÉCRITS

Les bâtiments et les objets nous disent comment les gens vivaient, mais l'écriture peut nous apprendre comment les gens pensaient et ce qu'ils croyaient. Les gens de diverses civilisations ont utilisé beaucoup de types différents d'écriture, que les historiens ont réussi à décoder et à comprendre pour la plupart.

Glyphe maya, ou écriture par dessins.

Anciennes écritures chinoises sur un os, datant de l'époque de la dynastie Shang.

Enregistrement d'une histoire aborigène en Australie.

LES MOTS PARLÉS

Dans le passé, la plupart des gens ne savaient ni lire ni écrire. Ils entraînaient leurs esprits à se souvenir des informations importantes et des histoires anciennes pour les transmettre par le bouche-à-oreille. Aujourd'hui, ces histoires sont parfois une précieuse source d'informations pour les historiens.

Des ordinateurs *sont utilisés pour prendre des notes sur l'excavation.*

Les archéologues *creusent des tranchées pour enquêter sur un site.*

Des supports *maintiennent les parois des tranchées.*

Les archéologues *utilisent des pinceaux pour retirer délicatement la terre des objets enterrés.*

Excavation sur l'île de Crète, en Grèce.

Des pinceaux doux sont utilisés pour déterrer les objets enfouis.

POUR EN SAVOIR PLUS
LA COMMUNICATION : l'écriture
LES MACHINES : les scanners

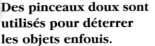
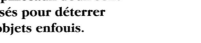

L'âge des ténèbres en Europe

La Scandinavie, terre des Vikings.

En Europe, les années entre 500 et 1000 sont souvent appelées l'âge des ténèbres, parce qu'il y eut beaucoup de guerres. Les Vikings brûlaient et pillaient les villages et les fermes. Certaines régions du sud et de l'est de l'Europe furent attaquées par des envahisseurs venus d'Asie centrale et du Moyen-Orient. Mais l'âge des ténèbres fut aussi celui de nombreuses découvertes. Les explorateurs construisaient de nouvelles colonies, et les rois encourageaient l'éducation, le commerce et l'art.

COLONS VIKINGS

Tous les Vikings n'étaient pas des voleurs. Des familles de fermiers quittèrent la Scandinavie à la recherche d'une meilleure terre. Ell s'installèrent en Écosse, en Irland en Russie, en France, en Angleter en Islande et au Groenland.
En 1001, des Vikings s'installère en Amérique du Nord, mais la quittèrent après quelques année

Les Vikings construisaient
des navires de bois lisses et rapides.

Les maisons de bois avaient des toits de terre recouverte d'herbe.

Village viking en Scandinavie.

GUERRIERS CELTES

Les Celtes étaient des guerriers d'Asie centrale, qui peuplaient le nord-ouest de l'Europe vers l'an 750 avant J.-C. C'étaient des fermiers, des chasseurs et d'habiles ferronniers. Les tribus celtes de France et d'Allemagne ont été vaincues par les Romains vers l'an 50 avant J.-C., mais sont restées puissantes pendant encore des centaines d'années en Irlande, en Écosse et au pays de Galles.

Tour de cou.

Broche.

Bijoux celtes.

Les Vikings mettaient souvent une tête de dragon sculptée à l'avant de leurs bateaux.

Page décorée d'un livre chrétien.

LES DÉBUTS DU CHRISTIANISME

La foi chrétienne a vu le jour au Moyen-Orient, à l'époque où Jésus-Christ y vivait (de l'an 1 à l'an 33). Durant 700 ans, elle s'est propagée à travers l'Europe. De nombreuses églises et cathédrales furent construites. Des moines chrétiens ont produit de superbes livres religieux.

Les Vikings parcouraient de longues distances pour faire du commerce.

ROI DES FRANCS

Charlemagne était un roi des Francs. Il a fondé un vaste empire dans le nord de l'Europe et contraint les peuples qu'il avait conquis à embrasser sa religion, le christianisme. Son but était de créer un nouvel Empire romain et il s'est couronné lui-même empereur du Saint Empire romain en l'an 800 de notre ère.

L'empereur Charlemagne a régné de 768 à 814 de notre ère.

C'EST INCROYABLE !

★ Les Celtes plaçaient souvent le crâne d'un ennemi vaincu au-dessus de leur porte d'entrée, pour protéger la maison des mauvais esprits.

POUR EN SAVOIR PLUS

LES TRANSPORTS : les bateaux
LES VOYAGEURS ET LES EXPLORATEURS : les Vikings

L'empire musulman

 Les musulmans sont des gens qui suivent les préceptes de l'islam, une foi prêchée par le prophète Mahomet, qui a vécu en Arabie de 570 à 632. Après sa mort, l'islam s'est propagé dans de nombreuses régions du monde grâce aux commerçants musulmans, et par les soldats musulmans partant à la conquête de nouveaux territoires. Dans les années 800 de notre ère, l'empire musulman était riche et puissant. Il s'étendait du sud de l'Espagne à la Chine occidentale et beaucoup des villes qui le composaient étaient magnifiques.

L'empire musulman vers l'an 800.

UNE CAPITALE

Bagdad, aujourd'hui en Iraq, ét[ait] la capitale de l'empire musulma[n]. Elle a été fondée par le calife al-Mansur en 762. Elle fut constru[ite] en forme de cercle, et les palais, les mosquées et les collèges se trouvaient en son centre. Les écoles, les hôpitaux et les maisons des travailleurs se trouvaient à la périphérie.

Page décorée du Coran.

Les bibliothèques contenaient des milliers de livres et de manuscrits.

LA LOI MUSULMANE

Partout dans le monde musulman, les gens étaient gouvernés par des lois basées sur le livre saint musulman, le Coran. Les croyants d'autres confessions étaient bien traités, mais devaient payer un impôt supplémentaire.

Centre de la ville de Bagdad, vers 765.

ARTS ET MÉTIERS

Les travailleurs, partout dans l'empire musulman, excellaient dans de nombreux métiers, comme potier, carreleur, souffleur de verre, ferronnier ou fabricant de tapis. Ils créaient de beaux objets pour décorer les mosquées, les palais et les maisons. Les marchands européens et asiatiques se rendaient dans les villes de commerce musulmanes afin d'y acheter des objets d'artisanat et d'y vendre des fourrures, de la soie et des épices.

C'EST INCROYABLE !

★ Babur, le premier empereur moghol, a gagné sa première bataille alors qu'il avait tout juste 14 ans.

★ À Bagdad, il y avait plus de 65 000 bains publics.

Assiette.

Carafe à eau.

Délicate vaisselle musulmane.

L'empereur moghol Shah Jahan à sa cour.

Mosquée, où prient les musulmans, avec des dômes et des minarets.

Les astronomes utilisaient des astrolabes pour déterminer la position des étoiles.

GUERRIERS MUSULMANS

Les Moghols étaient des guerriers musulmans qui venaient d'Asie centrale. Ils ont gouverné l'Inde de 1526 à 1858. Les empereurs moghols distribuaient généreusement l'argent afin d'encourager les arts, l'architecture et l'éducation. Les Moghols créèrent une nouvelle civilisation moghole en Inde, où les styles musulmans d'art et d'architecture étaient mélangés à ceux de l'Inde antique.

Des universités et des écoles furent fondées pour étudier l'astronomie, les sciences et la médecine.

POUR EN SAVOIR PLUS
LES PERSONNAGES CÉLÈBRES : les dirigeants de l'islam
LA PEINTURE ET LA SCULPTURE : l'art islamique

L'Amérique centrale et l'Amérique du Sud

☞ **L**es Amériques ont abrité beaucoup de grandes civilisations, parmi lesquelles les Olmèques, les Toltèques, les Mayas, les Aztèques et les Incas. Les Mayas étaient à leur apogée des années 250 à 900, et les Aztèques et les Incas régnaient sur de vastes empires des années 1440 à 1500. Les peuples de ces civilisations créèrent de grandes villes, d'immenses temples et de merveilleuses œuvres d'art. Chacune de ces civilisations avait sa propre langue, ses lois et ses coutumes.

■ Apogée de l'Empire maya, 350
■ Apogée de l'Empire aztèque, 15(
■ Apogée de l'Empire inca, 1525

SACRIFICE AZTÈQUE

Les Aztèques pensaient que la fin du monde était proche. Pour empêcher cela, ils croyaient qu'ils devaient offrir du sang humain à leurs dieux. Ils partaient en guerre pour capturer des ennemis, et les tuaient pour les offrir en sacrifice à leurs dieux.

Grand temple de Tatloc
(dieu de la Pluie) et d'Huitzilopochtli
(dieu tribal des Aztèques) où des gens
étaient sacrifiés.

Anneau
de pierre
fixé au m

JEUX AZTÈQUES

Le sport favori des Aztèques était un jeu de ballon appelé *tlachtli,* ou *pot-a-tok.* Deux équipes devaient frapper une balle de caoutchouc dur à travers un anneau fixé à un mur. C'était un jeu rapide et violent. Seuls les nobles pouvaient y jouer, et les jours de fêtes religieuses, l'équipe perdante pouvait être sacrifiée aux dieux.

Les joueurs portaient
parfois des protections
aux bras et aux genoux.

Partie de tlachtli dans la ville aztèque de Tenochtitlán, vers 1500.

ARTS ET ARTISANATS

Les peuples d'Amérique centrale étaient d'habiles artisans. Ils sculptaient de magnifiques statues et fabriquaient de délicats tissus, poteries, bijoux, masques et coiffes de plumes. Le peuple maya fabriquait aussi des livres pliables pleins d'écritures et de dessins.

Sculpture du dieu aztèque Chacmool, utilisée pour exposer un cœur d'humain sacrifié.

Sculpture de jade olmèque.

Des champs de culture *en terrasse étaient creusés dans les pentes des montagnes.*

Pont de corde *au-dessus d'une gorge.*

Temple de Tezcatlipoca, « *miroir fumant* », *en l'honneur de l'un des dieux principaux des Aztèques.*

Les spectateurs acclamaient *leurs équipes pendant le jeu.*

Le mur pouvait *mesurer 60 m de long et 10 m de large.*

Village de montagne inca.

VIE MONTAGNARDE

Les Incas ont régné sur un vaste empire dans les montagnes des Andes, en Amérique du Sud, d'environ 1400 à 1533. Ils y ont construit des villes avec des palais et des temples, et des milliers de kilomètres de routes. Les gens y vivaient en cultivant du maïs et des pommes de terre, et en élevant des lamas pour leur laine.

C'EST INCROYABLE !

★ Les Aztèques furent les premiers à fabriquer du chocolat, à partir de graine de cacao moulue, d'eau, de miel et d'épices.

★ Les Mayas étaient d'éminents mathématiciens. Ils furent les premiers à inventer un signe pour le chiffre « zéro ».

POUR EN SAVOIR PLUS
LA COMMUNICATION : les messagers incas
LES SITES CÉLÈBRES : Tikal

L'Europe médiévale

Pendant l'époque médiévale, d'environ 501 à 1500, l'Europe était gouvernée par des rois et des reines. Les rois et les reines étaient aidés par des seigneurs, des chevaliers et des dirigeants de l'Église, en échange de quoi ils leur donnaient des terres. Les propriétaires pouvaient s'offrir de splendides châteaux, de la bonne nourriture et des vêtements raffinés. Leurs terres étaient cultivées par des gens ordinaires, qui leur donnaient une part de leur production de nourriture.

■ Europe médiévale
□ Pays de Galles

Tour de la chapelle,
pour les messes.

Tour du roi,
où se trouvent les
chambres royales

CHÂTEAU MÉDIÉVAL

Les premiers châteaux, construits vers l'an 1000, étaient faits de bois et de terre. À partir de l'an 1200, les gens ont commencé à construire de massives forteresses de pierre aux murs épais. Les villes étaient établies autour des châteaux et des forteresses pour être protégées.

Un épais mur de pierres
protégeait le château et les
bâtiments environnants.

**Château de Conwy,
au pays de Galles,
construit entre 1283
et 1287.**

C'EST INCROYABLE !

★ Les armures des chevaliers étaient si raides et lourdes qu'il leur fallait un apprenti chevalier, appelé un écuyer, pour pouvoir les mettre.

CHEVALIERS ET GENTES DAMES

Les chevaliers se battaient à cheval. Ils avaient pour devoir d'aider les rois à défendre leurs terres. Ils étaient généralement issus de familles nobles, mais un soldat très courageux pouvait être récompensé en étant fait chevalier. Les chevaliers devaient être courtois avec les dames. Certaines dames donnaient un de leurs foulards ou un gant à un chevalier en gage de loyauté.

Tableau médiéval représentant l'amour d'un chevalier pour sa dame.

Grande salle *destinée aux banquets pour les invités de marque.*

Tour de la prison, *avec un cachot souterrain.*

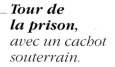

COMBAT POUR LA TERRE SAINTE

Les croisades étaient des guerres entre chrétiens et musulmans, pour conquérir le droit de régner sur la Terre sainte, la région qui se trouve autour de la ville de Jérusalem. Les croisades commencèrent en 1096, quand des soldats chrétiens marchèrent sur Jérusalem, et se terminèrent en 1291, quand les armées musulmanes repoussèrent les chrétiens hors de la Terre sainte.

Chevaliers européens prenant Jérusalem lors de la première croisade en 1099.

LA PUISSANCE DE L'ÉGLISE

L'Église chrétienne joua un rôle important dans la vie médiévale européenne. Elle était très riche et puissante, et contrôlait la plupart des hôpitaux, des écoles et des universités.

Moine écrivant un manuscrit dans un monastère médiéval.

Porte extérieure *avec un pont-levis gardé par des soldats.*

POUR EN SAVOIR PLUS
LA DANSE, LE THÉÂTRE ET LA MUSIQUE : les spectacles historiques
LES SITES CÉLÈBRES : les châteaux

La Chine des Tang et des Song

Les empereurs Tang ont gouverné la Chine de 618 à 907. Ils ont conquis de nouveaux territoires, reconstruit des villes importantes, comme Changan (aujourd'hui Xi'an), et encouragé le commerce. Quand l'empire Tang s'est effondré, la Chine s'est séparée en cinq royaumes en guerre. La dynastie Song a pris le pouvoir en 960 et rétabli la paix. Les empereurs Tang et Song vénéraient les arts et les sciences et, à cette époque, les savants ont fait de grandes inventions, telles que l'imprimerie, la boussole et les fusées.

L'empire Tang, 618-907.

LA VILLE DE CHANGAN

Sous la dynastie Tang, Changan était la capitale de la Chine. Plus d'un million de personnes y vivaient, y compris l'empereur et ses fonctionnaires, les nobles les marchands et les intellectuel

C'EST INCROYABLE !

★ La route de la soie faisait 7 000 km de long. Il fallait des mois, ou même des années, à un marchand, pour la parcourir d'un bout à l'autre.

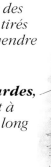

Des guetteurs surveillaient chaque porte.

Les fermiers apportaient *des cochons, des poulets et des légumes dans des chariots tirés par des chevaux pour les vendre au marché.*

Les marchandises lourdes, *comme le riz, arrivaient à Changan par bateau, le long des voies navigables.*

La ville de Changan à l'époque des Tang.

Tableau chinois de Mongols nomades, XIVᵉ siècle.

Les Mongols vagabonds

Les Mongols étaient des nomades qui parcouraient les prairies du nord et du centre de l'Asie. Les Mongols ont attaqué la Chine du Nord sous les dynasties Tang et Song. En 1206, ils se sont unis sous la direction de Gengis Khan et ont commencé à conquérir de nombreux territoires.

Rencontre entre l'Est et l'Ouest

Changan et la ville de Kaifeng étaient situées à l'extrémité est de la route de la soie, un réseau de routes qui reliait les importantes villes de commerce de l'est et de l'ouest. Les marchands d'Europe et du Moyen-Orient voyageaient en Chine le long de la route de la soie, apportant de l'or, des étoffes et du cuir à échanger contre de la soie.

Marchands song vendant de la soie.

Les maisons étaient en bois, avec des toits de chaume ou de tuiles.

Changan était entourée de solides murailles de terre et de brique.

Pichet tang en porcelaine.

La recherche de la perfection

La porcelaine, une poterie très fine, lisse et brillante, a été inventée en Chine il y a environ 1 800 ans. À l'époque des Tang et des Song, les artisans ont essayé, à partir de tous les styles connus, de créer la plus belle poterie jamais vue.

POUR EN SAVOIR PLUS
LES SITES CÉLÈBRES : Changan
LES PERSONNAGES CÉLÈBRES : Gengis Khan

Le Japon, la Corée et l'Asie du Sud-Est

Le Japon, la Corée et l'Asie du Sud-E[...]

Le Japon et les pays d'Asie du Sud-Est ont tous des climats, des paysages, des traditions et des croyances différents. Mais depuis les années 1150, ils sont tous connus pour leurs extraordinaires constructions et œuvres d'art. Les Khmers, souverains du Cambodge, se sont autoproclamés rois divins et se sont fait construire comme demeures d'immenses villes-temples. En Indonésie, les souverains des dynasties Sailendra et Srivijaya ont créé d'immenses temples bouddhistes, tels que le Barabudur, à Java.

LA VIE À LA COUR DU JAPON

La vie à la cour du Japon était élégan[te] et courtoise, mais régie par des lois t[rès] strictes. Prendre part aux cérémonies traditionnelles, avoir de bonnes manières et montrer du respect étai[ent] très importants. À la cour, les femme[s] étaient généralement éloignées des visiteurs, excepté les membres de leu[r] famille ou leurs amis proches, se tenant derrière de délicats paravents faits de papier peint ou de bois.

Les Japonais riches et nobles portaient de magnifiques robes de soie appelées des kimonos.

Cour japonaise à Heian-Kyo (aujourd'hui Kyoto), vers l'an 800.

C'EST INCROYABLE !

★ Les Japonaises à la mode maquillaient leur visage en blanc et leurs dents en noir. Elles les maquillaient en noir parce que le blanc les faisait paraître jaunes.

Fermiers *khmers cultivant du riz.*

Travaux agricoles près d'Angkor Vat, au Cambodge.

LA DYNASTIE CORÉENNE

En 668, la dynastie Silla, en Corée, prit le pouvoir sur plusieurs petits royaumes pour en faire un seul État très puissant. En 918 , c'est la dynastie Koryo qui prit le pouvoir. Grâce à sa position géographique, la Corée devint un lien important entre la Chine et le Japon.

« Sowan » coréen, ou bâtiment classique.

L'EMPIRE KHMER

En 802, le roi khmer Jayavarman II créa un puissant empire au Cambodge, qui fut florissant pendant plus de 600 ans. La plus célèbre ville-temple khmère, Angkor Vat, a été construite entre 1113 et 1150. Les armées de Thaïlande envahirent l'empire en 1400, forçant les Khmers à quitter Angkor.

Sculpture d'un bateau sur le temple de Barabudur, sur l'île de Java, en Indonésie.

Délicat paravent de papier, *décoré d'arbres et de montagnes*

Les Japonais *portaient leurs longs cheveux en toupets.*

LE DÉTROIT DE MALACCA

Tous les commerçants désireux d'acheter des épices en Indonésie devaient passer par le détroit de Malacca, un étroit canal entre l'île indonésienne de Sumatra et la péninsule malaise. À partir de l'an 800, le détroit fut contrôlé par les souverains bouddhistes. Après 1400, il fut régi par les sultans musulmans.

POUR EN SAVOIR PLUS
LES SITES CÉLÈBRES : Barabudur
LES VOYAGEURS ET LES EXPLORATEURS :
l'empire khmer

Les serviteurs s'inclinaient *très bas en signe de respect.*

L'Australie et les îles du Pacifique

L'Australie et la Nouvelle-Zélande, où vivent les aborigènes et les Maoris

L'Australie était inconnue des Européens jusqu'en 1645, mais des peuples d'Asie du Sud-Est s'y étaient installés il y a environ 50 000 ans. Il a fallu des milliers d'années pour coloniser toutes les îles du Pacifique. Des gens originaires de Nouvelle-Guinée sont allés vivre à Fidji vers 1300 avant J.-C. De là, des colons sont allés aux Tonga et aux Samoa. Leurs descendants ont finalement atteint la Nouvelle-Zélande vers l'an 800.

Les esprits des ancêtres étaient sculptés au-dessus de l'entrée pour protéger les habitants du village.

Hei-tiki, ou pendentif de jade maori.

Une clôture de bois protégeait le village.

VIVRE EN NOUVELLE-ZÉLANDE

Les Maoris furent le premier peuple à s'installer en Nouvelle-Zélande. Ils étaient de féroces guerriers, et vivaient en cultivant la terre, en chassant et pêchant. Les Maoris construisaient des maisons de bois dans de grands villages fortifiés.

Sculpture de bois des îles Salomon représentant un poisson.

Les chefs et les *guerriers* avaient le visage tatoué.

DE TALENTUEUX SCULPTEURS

Les insulaires du Pacifique étaient doués pour sculpter le bois, les coquillages, les os de baleines et la roche volcanique. Les Maoris réalisaient de superbes sculptures dans de la pierre dure et verte appelée jade.

Lance décorée de plumes, utilisée pour la chasse et le combat.

Manteau et kilt de lin.

Entrée d'un village maori, en Nouvelle-Zélande.

Naviguer sur le Pacifique

Les insulaires du Pacifique étaient des experts en construction de bateaux. Ils parcouraient de longues distances sur l'océan Pacifique à bord de pirogues à balancier, naviguant à l'aide du Soleil et des étoiles. Ils établissaient des cartes des itinéraires entre les îles connues, avec des brindilles, des coquillages et des cailloux.

Voile faite *de feuilles de palmier tissées.*

Pirogues chargées *de cochons, de poules, et de graines de plantes comestibles.*

Pirogues à balancier.

Les premiers Australiens

La vie dans le rude climat australien était difficile. Les familles aborigènes (le premier peuple d'Australie) vivaient dans des abris faits de peaux de bêtes et de branches. Ils chassaient les kangourous et les oiseaux, creusaient la terre pour trouver des racines et des larves, rassemblaient des graines et attrapaient des crustacés.

Aborigènes d'aujourd'hui en Australie.

C'est incroyable !

★ Les peuples des îles du Pacifique ont inventé le surf. Leurs pays avaient des plages merveilleuses et d'immenses vagues.

★ Les filets de pêche des Maoris mesuraient environ 800 m de long.

POUR EN SAVOIR PLUS
LES ENFANTS DU MONDE : l'Australie
LES VOYAGEURS ET LES EXPLORATEURS : la navigation

Les empires africains

☞ L'Afrique a abrité beaucoup de grandes civilisations, chacune ayant ses propres coutumes, langues et dieux. Certaines étaient basées autour de grandes villes animées comme Le Caire ou Tanger. Elles étaient gouvernées par des musulmans qui construisaient des palais, des écoles et des mosquées. D'autres civilisations, comme les royaumes du Ghana (700-1200) et du Mali (1200-1500), prirent leur essor en élevant du bétail et en extrayant l'or des mines. Des villes-États comme Kilwa et Mogadiscio faisaient commerce d'esclaves et d'ivoire avec l'Inde et l'Arabie.

■ Afrique
⬚ Royaume du Bénin

UN PUISSANT EMPIRE

Le Bénin était un royaume d'Afrique de l'Ouest, dans l'actuel Nigeria. Ses habitants vivaient de l'agriculture, mais ils étaient aussi de célèbres guerriers et ferronniers. Le Bénin était gouverné par de puissants rois appelés obas, et le royaume fut à son apogée de 1400 à 1900.

Fourneau à bois pour faire fondre le bronze des statues.

Des soufflets étaient utilisés pour maintenir les braises ardentes.

Les jeunes travailleurs étaient formés par les artisans plus âgés.

BRONZES DU BÉNIN

Les artisans du Bénin produisaient des statues de têtes et décoraient des panneaux carrés de cuivre et de bronze appelés plaques. Les statues étaient placées sur des autels familiaux, en souvenir des ancêtres morts. Les plaques étaient utilisées pour décorer le palais royal.

Artisans du Bénin fabriquant des statues de bronze, vers 1600.

L'OR ASHANTI

Le peuple ashanti vivait dans le Ghana d'aujourd'hui, de 1600 à 1900. Ses rois contrôlaient les plus grandes mines d'or d'Afrique. Les métallurgistes ashantis produisaient de magnifiques statues d'or et de lourds bijoux.

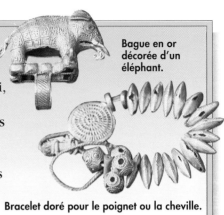

Bague en or décorée d'un éléphant.

Bracelet doré pour le poignet ou la cheville.

CENTRE D'ÉDUCATION

La ville de Tombouctou, dans le Mali d'aujourd'hui, était un célèbre centre d'éducation et abritait beaucoup d'universités. Elle fut construite près des pistes à chameaux du désert du Sahara et prospéra grâce au commerce.

Un toit de chaume protégeait les travailleurs du soleil brûlant.

La mosquée de Tombouctou.

Les maisons avaient des toits de chaume.

Seuls les hommes fabriquaient des statues, les femmes du Bénin étaient tisserandes, fermières et marchandes.

Des murs protégeaient les maisons et les stocks de grain.

Les gens riches achetaient des statues pour les placer sur leurs autels familiaux.

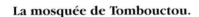

Enclos pour le bétail.

Ville du Grand Zimbabwe.

C'EST INCROYABLE !

★ Le sultan de Kilwa était très riche. Vers 1430 il fit construire un palais de corail qui comportait plus de 100 pièces et une piscine.

★ Vers l'an 900, en Afrique de l'Est, un chevrier s'aperçut que ses chèvres ne dormaient pas après avoir mangé des grains de café sauvage. C'est ainsi que le café (qui tient éveillé) a été découvert.

VILLE MURÉE

Les rois du peuple shona (Zimbabwe d'aujourd'hui) construisirent une ville-palais murée, appelée Grand Zimbabwe, de 1200 à 1400 environ. Le peuple shona élevait du bétail et faisait commerce de cuir, d'or, de cuivre et d'ivoire.

POUR EN SAVOIR PLUS
LA PEINTURE ET LA SCULPTURE : les moulages de bronze
LES VOYAGEURS ET LES EXPLORATEURS : l'esclavage

Les civilisations d'Amérique du Nord

L'Amérique du Nord, terre des tribus indiennes.

À une époque, il y avait plus de 300 tribus d'Indiens différentes en Amérique du Nord. Selon la région où elles vivaient, ces tribus avaient des modes de vie et des dialectes différents. Mais il y avait aussi des similitudes entre ces peuples. Ils trouvaient tous des moyens de survivre dans des environnements difficiles et avaient un grand respect pour la nature. Ils étaient tous doués pour les arts et l'artisanat, et ils étaient fiers de leurs coutumes et traditions ancestrales.

VILLAGE IROQUOIS

Le peuple iroquois vivait dans les régions boisées de l'est de l'Amérique du Nord d'aujourd'hui de 1600 à 1800. Leurs villages étaient composés de plusieurs longues maisons de bois. Les gens vivaient de la chasse et de l'agriculture.

Environ 12 familles vivaient dans chaque maison.

Les maisons mesuraient environ 45 m de long.

Villageois iroquois construisant de longues maisons, vers 1650.

Les villageois iroquois plantaient des champs de maïs, de haricots et de citrouilles.

Tipi.

Igloo.

Cri.

Inuit.

Paiute.

Sectoar.

Maison
en briques
de terre
cuite.

Pueblo.

Dakota.

Longue
maison
de bois.

Creek.

**Quelques tribus indiennes d'Amérique
et leurs habitations.**

SE RASSEMBLER

La Ligue iroquoise était une alliance
de cinq peuples, les Mohawk, les Seneca,
les Oneida, les Onondanga et les Cayuga.
Ils s'unirent d'environ 1570 à 1780 pour
combattre leurs ennemis et, plus tard,
les colons européens.

Les longues maisons
étaient faites de perches
de bois recouvertes
d'écorce d'orme.

TERRES ET HABITATIONS

La façon de vivre des Indiens d'Amérique
dépendait de la région où ils vivaient.
Dans les régions boisées, ils habitaient
des maisons de bois et chassaient le cerf,
l'orignal ou l'ours. Dans les plaines,
ils vivaient dans des tipis et chassaient
le bison. Dans les régions chaudes
du sud, ils construisaient des maisons
en briques de terre cuite au soleil
et cultivaient le maïs, attrapaient
des lapins, ou cueillaient des graines.

C'EST INCROYABLE !

★ **Le peuple inuit du Grand
Nord inventa les premières
lunettes de soleil. Elles
étaient faites de bois ou d'os
et protégeaient les yeux
de l'aveuglante lumière du
soleil réfléchie par la glace
et la neige.**

FAIRE DE L'ART

Les Indiens d'Amérique
utilisaient beaucoup de
matériaux différents,
des pierres semi-précieuses
appelées turquoises à
de la roche appelée mica,
pour fabriquer d'utiles
et beaux objets.

**Nous pouvons aujourd'hui porter des
bijoux fabriqués par les descendants des
anciennes tribus indiennes d'Amérique.**

Décoration
de motifs
en spirale.

POUR EN SAVOIR PLUS
LA PEINTURE ET LA SCULPTURE :
l'art des Indiens d'Amérique

**Poterie fabriquée par le
peuple anasazi du Nouveau-
Mexique, vers 1100.**

La Renaissance et la révolution en Europe

■ Europe
■ France

Des années 1400 à 1800, l'Europe connut de grands changements. Ceux-ci commencèrent avec la Renaissance, qui changea la vision du monde chez beaucoup de gens. Puis de nouvelles idées religieuses sont apparues, ce qui provoqua d'amères querelles entre protestants et catholiques, et parfois même la guerre. De mauvais dirigeants et de grandes disparités entre les vies des riches et des pauvres menèrent à la révolution, d'abord en France, puis dans d'autres pays européens.

RÉVOLUTION FRANÇAISE

La Révolution française eut lieu en 1789, en protestation contre une monarchie inefficace, de lourds impôts, la pauvreté et les pénuries de nourriture. Les émeutiers attaquèrent les palais royaux, établirent un nouveau gouvernement et tuèrent le roi e la reine. Des milliers de personn furent exécutées avec une machi appelée « guillotine ».

Florence, en Italie, un centre de la Renaissance des arts et du savoir.

Exécution par la guillotine pendant la Révolution française.

Les partisans de la Révolution portaient des cocardes à leurs chapeaux.

RENAISSANCE DU SAVOIR

En Europe, les années situées entre 1400 et 1500 sont souvent appelées la Renaissance. Les intellectuels, les savants et les artistes adoptaient de nouvelles idées, qui se propageaient grâce à des livres imprimés.

RÉFORMER L'ÉGLISE

D'environ 1500 à 1600, il y eut des conflits entre chrétiens en Europe. Des groupes de chrétiens appelés protestants quittaient l'Église catholique et établissaient de nouvelles Églises. Ils voulaient lire la Bible et prier dans leurs propres langues plutôt qu'en vieux latin. Ils remettaient aussi en cause beaucoup des croyances catholiques.

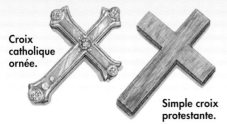

Croix catholique ornée.

Simple croix protestante.

LA VIE À LA COUR

Les rois et les reines d'Europe croyaient que Dieu leur avait donné le droit de gouverner, et ils refusaient que les gens ordinaires prennent part au gouvernement de leurs pays. Ces souverains vivaient reclus dans des palais magnifiques, et portaient des vêtements et des bijoux splendides. Après les révolutions et les émeutes dans beaucoup de pays d'Europe, les souverains ont adopté des mesures pour améliorer la vie de leurs peuples.

L'impératrice Marie-Thérèse, souveraine d'Autriche de 1740 à 1780.

Les palais avaient des centaines de pièces.

Le palais de Schönbrunn, près de Vienne, en Autriche, demeure de l'impératrice Marie-Thérèse.

Lame.

La guillotine tuait les gens en leur coupant la tête avec une lame aiguisée.

C'EST INCROYABLE !

★ Plus de 3 000 personnes furent guillotinées en une année pendant la Révolution française, entre 1793 et 1794. Cette période était appelée « la Terreur ».

Les ennemis de la Révolution étaient amenés à la guillotine dans des chariots découverts.

POUR EN SAVOIR PLUS
LES SITES CÉLÈBRES : les palais
LA PEINTURE ET LA SCULPTURE : la Renaissance

Le commerce à travers le monde

L e premier tour du monde a été fait par des marins portugais de 1519 à 1521. À partir du moment où les explorateurs européens ont prouvé qu'il était possible d'atteindre par bateau des terres lointaines comme l'Afrique, l'Inde ou l'Amérique, les commerçants européens n'ont pas tardé à les suivre.

Les consommateurs européens étaient très amateurs de tout objet provenant de pays lointains, comme la porcelaine de Chine et les tissus en coton rapportés d'Inde. Le commerce résidait aussi dans l'échange d'idées entre les peuples de différents pays et cultures.

Le batik, tissu d'Indonésie, est toujours échangé contre des épices d'Asie du Sud-Est et d'Inde.

LE COMMERCE EN ASIE DU SUD-EST

Pendant des siècles, les marchands d'Afrique de l'Est, d'Arabie, d'Inde et de Chine faisaient des affaires avec les ports de commerce d'Indonésie. Ils achetaient du tissu et des épices. Dans les années 1500, les marins européens aussi commencèrent à faire du commerce avec l'Asie du Sud-Est.

Les navires européens avaient de profondes coques de bois pour stocker d'importantes cargaisons.

Les commerçants européens marchandaient pour obtenir les meilleurs prix.

Coton, soie, épices et thé d'Asie du Sud-Est, d'Inde et de Chine.

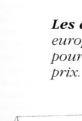

Avocats, pommes de terre, poivrons, tomates, maïs et cacao d'Amérique du Nord et du Sud.

Produits achetés et vendus partout dans le monde.

LE COMMERCE DANS LE NOUVEAU MONDE

À partir de 1492, les marins espagnols puis les autres Européens ont traversé l'Atlantique pour aller en Amérique centrale et en Amérique du Nord et du Sud, qu'ils appelaient le « Nouveau Monde ». Ils y trouvèrent de l'or, de l'argent, et de nouveaux aliments.

Indiens otomi rencontrant des marins espagnols.

Bateau-cargo, *utilisé par les marchands européens.*

Jonque, *utilisée par les marchands chinois.*

Boutre, *utilisé par les marchands d'Afrique de l'Est, d'Inde et d'Arabie.*

Bateaux et navires de commerce du monde entier.

Pirogue à balancier, *utilisée par les îliens du Pacifique.*

Les producteurs *d'épices transportaient leur marchandise jusqu'à des entrepôts, dans les grands ports.*

NAVIGUER À TRAVERS LES MERS

Jusqu'au milieu du XIXᵉ siècle, tous les navires étaient en bois. Ils étaient équipés de voiles en tissu pour prendre le vent. Les petits navires avaient aussi des rames ou des avirons, que les marins utilisaient en eau peu profonde ou quand le vent tombait. Un voyage en mer était lent, et aller d'Asie en Europe pouvait prendre des mois.

Commerce dans le port d'Atjeh, en Indonésie.

SE SUFFIRE À SOI-MÊME

Le Japon et la Chine ne voulaient pas de commerçants étrangers dans leurs pays. Ils interdisaient tout visiteur venu d'outre-mer, sauf dans certains ports de commerce comme Nagasaki, au Japon, et Guangzhou (aujourd'hui Canton), en Chine.

Port de commerce de Guangzhou, en Chine, en 1830.

POUR EN SAVOIR PLUS
LES TRANSPORTS : les bateaux à voile
LES VOYAGEURS ET LES EXPLORATEURS :
le commerce des épices

La formation des États-Unis

Les premiers colons européens sont arrivés en Amérique du Nord aux environs de 1540. Ils ont construit des églises, des villages et des fermes. Pendant 200 ans, les pays européens ont revendiqué le droit de gouverner l'Amérique, jusqu'à ce que les gens qui y vivaient se rebellent. À cette époque, les colons et les Indiens cohabitaient parfois pacifiquement, parfois aussi dans la haine. À partir des années 1800, de nouveaux colons sont arrivés, et davantage d'Indiens furent chassés de leurs territoires.

Les États-Unis, 1898.

ALLER VERS L'OUEST
À partir de 1850, des millions de gen ont traversé l'Amérique pour aller vers l'Ouest. Le voyage était long et dangereux, et la vie dans les villages l'Ouest difficile, mais les gens espérai y trouver des terres cultivables.

Un cavalier armé *essayait de repérer les Indiens ou les bandits.*

Les chariots *étaient tirés par des chevaux, des mules ou des bœufs.*

Colons traversant l'Ouest en chariot.

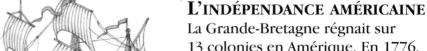

LES COLONS DU *MAYFLOWER*

En 1620, un petit groupe de familles, appelé « les pèlerins », a quitté l'Angleterre pour s'installer dans l'est de l'Amérique. Les pèlerins voulaient créer une nouvelle communauté, gouvernée par des lois issues de la Bible. Ils appelèrent leur nouveau village Plymouth, le nom du port d'Angleterre d'où ils étaient partis.

Le *Mayflower*, le bateau des « pèlerins ».

L'INDÉPENDANCE AMÉRICAINE

La Grande-Bretagne régnait sur 13 colonies en Amérique. En 1776, les colonies rédigèrent une déclaration d'Indépendance, établissant leur droit de fonder une nouvelle nation, les États-Unis d'Amérique. Ce fut le début d'une guerre de sept ans. Les colonies l'emportèrent sur la Grande-Bretagne en 1783.

Les dirigeants des colonies signant la déclaration d'Indépendance, le 4 juillet 1776.

Les bâches des chariots *étaient faites de tissu tendu sur une armature en cerceau.*

Les hommes chevauchaient *ou marchaient près des chariots : les malades, les femmes et les enfants voyageaient généralement à l'intérieur.*

Les roues avant étaient *plus petites que les roues arrière pour faciliter la conduite.*

LA GUERRE CIVILE

Dans les États du sud de l'Amérique, des esclaves noirs d'Afrique travaillaient dans les champs de coton. Les États du Nord voulaient abolir l'esclavage. Le Nord et le Sud se querellaient aussi à propos du gouvernement et du commerce. Cela mena à une guerre civile, qui dura de 1861 à 1865. Le Nord l'emporta, et les esclaves furent affranchis.

Soldats du Nord (Union).

Soldats du Sud (Confédérés).

C'EST INCROYABLE !

★ Entre 1900 et 1910, presque 9 millions de colons quittèrent l'Europe et l'est de l'Asie pour vivre aux États-Unis.

POUR EN SAVOIR PLUS
LES ENFANTS DU MONDE : les États-Unis
LES VOYAGEURS ET LES EXPLORATEURS : les États-Unis

La révolution industrielle

Pendant la révolution industrielle, il y eut de grands changements dans les méthodes de travail. Ces changements ont commencé en Angleterre vers 1750, quand des inventeurs ont créé des machines pour filer et tisser plus vite et à moindre coût qu'avec les rouets et les métiers à tisser manuels. Vers 1850, de nouvelles machines virent le jour. Ce nouveau moyen de produire vite et moins cher a rapidement touché le reste de l'Europe et l'Amérique du Nord.

L'Angleterre, où est née la révolution industrielle.

Londres à la fin des années 1800.

NOUVELLES VILLES USINES

On construisit des usines près des réserves d'eau et de charbon, qui étaient nécessaires au fonctionnement des nouvelles machines à vapeur. Les villes qu'on édifia autour des usines étaient sales et surpeuplées.

C'EST INCROYABLE !

★ Entre 1820 et 1860, plus de 7 000 km de lignes de chemin de fer ont été construites en Europe pour acheminer les marchandises vers les boutiques et les ports.

Des enfants ouvraient et fermaient les trappes au passage des chariots.

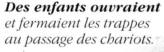

TRAVAILLER SOUS LA TERRE

La révolution industrielle n'aurait pas pu avoir lieu sans le charbon. Le prix à payer pour l'extraire était très lourd. Des hommes, des femmes et des enfants travaillaient dans des conditions très difficiles. Beaucoup étaient blessés ou tués par des éboulements, des explosions ou des incendies.

On s'éclairait à la faible lueur des bougies.

Les mineurs tiraient jusqu'à la surface de lourds wagonnets remplis de charbon.

48

TRAVAILLER EN USINE

Beaucoup de familles pauvres quittèrent la campagne pour travailler dans les nouvelles usines. Les gens espéraient trouver un travail régulier et bien payé. Toutefois, le travail à l'usine était dur. Il durait de longues heures et les énormes machines étaient dangereuses à manipuler. Les maisons d'ouvriers étaient souvent surpeuplées, et les maladies se propageaient rapidement.

De nombreuses femmes venaient travailler dans les nouvelles fabriques de vêtements.

LA RÉVOLUTION AGRICOLE

Vers l'année 1700, les propriétaires terriens d'Europe commencèrent à expérimenter de nouveaux moyens scientifiques pour faire pousser les récoltes et se reproduire les animaux. Plus tard, de nouvelles machines agricoles, comme les moissonneuses, furent créées pour faciliter les récoltes et donner un meilleur rendement.

Les moutons et les bovins étaient sélectionnés pour donner plus de laine, de lait et de viande.

Les moissonneuses recueillaient les récoltes.

Des étais de bois soutenaient le plafond de la galerie.

Les mineurs extrayaient le charbon à la main ou avec une pioche et l'enfournaient dans des sacs.

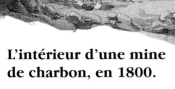

L'intérieur d'une mine de charbon, en 1800.

POUR EN SAVOIR PLUS
LES MACHINES :
les machines agricoles,
les machines de production

Les deux guerres mondiales

Au XXe siècle, il y eut deux terribles guerres. On les a appelées « guerres mondiales », parce que de nombreux pays y ont participé.

La Première Guerre mondiale a duré de 1914 à 1918. Elle a commencé parce que l'Angleterre et la France voulaient empêcher l'Allemagne de prendre le contrôle de l'Europe. Les gens l'ont appelée « la dernière des dernières », parce que beaucoup de soldats y moururent. Mais, 21 ans plus tard, une seconde guerre éclata. Elle dura de 1939 à 1945. Elle fut déclenchée quand Adolf Hitler, le dirigeant de l'Allemagne, ordonna l'invasion d'autres pays d'Europe.

Champ de bataille en Europe de l'Ouest, pendant la Première Guerre mondiale.

Les tranchées *inondées se remplissaient de boue.*

SUR LE FRONT

Durant la Première Guerre mondiale, les armées ont creusé en Europe occidentale de profondes tranchées sur la ligne de front, le terrain où les ennemis s'affrontaient. Les tranchées étaient censées protéger les troupes des tirs d'artillerie ennemis, mais elles furent vite remplies d'eau, de cadavres et beaucoup de soldats sont morts suite à des maladies.

Explosion *d'obus ennemis.*

Avion espion *survolant le front.*

Les docteurs *et les infirmières travaillaient derrière les lignes, dans des hôpitaux de campagne.*

Les porteurs de civières *bravaient les balles pour secourir les soldats blessés.*

Seuls les hommes étaient *autorisés à donner les premier* *soins sur les champs de batail*

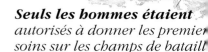

Adolf Hitler lors d'un rassemblement nazi, en 1933.

LA DEUXIÈME GUERRE MONDIALE

Les partisans d'Hitler étaient appelés « nazis ». Les nazis ont tué beaucoup de Juifs et d'autres groupes de personnes en Europe avant d'être vaincus en 1945. Le Japon et l'Italie s'étaient alliés avec Hitler. L'Angleterre, la France, la Russie, le Canada, l'Australie, la Nouvelle-Zélande, l'Afrique du Sud et les États-Unis ont combattu leurs armées. La Chine, l'Angleterre et les États-Unis ont empêché le Japon de conquérir la majeure partie de l'Asie du Sud-Est.

Des colombes blanches sont *lâchées comme symbole de la paix.*

La Croix-Rouge, créée en 1863, a remporté le prix Nobel de la paix en 1917 pour son aide aux blessés pendant la guerre.

Beaucoup de soldats ont été grièvement blessés par des gaz nocifs.

Prières annuelles pour la paix à Hiroshima.

UN MONUMENT POUR LA PAIX

Après la Deuxième Guerre mondiale, un monument pour la paix fut construit dans la ville japonaise d'Hiroshima. Il commémore les 150 000 personnes qui sont mortes ou qui ont été blessées lors de l'explosion de la première bombe atomique du monde larguée sur Hiroshima par les forces aériennes des États-Unis, le 6 août 1945.

POUR EN SAVOIR PLUS
L'ATLAS DU MONDE : la carte du monde
LES PERSONNAGES CÉLÈBRES : Alfred Nobel

Les révolutions communistes

Chine
Itinéraire de la Longue Marche

Le communisme est une doctrine qui prône le gouvernement d'un pays par le peuple. Il y eut, au XXᵉ siècle, des révolutions communistes dans beaucoup de pays, parmi lesquels la Russie (en 1917) et la Chine (en 1949). Les communistes se débarrassèrent des rois et des propriétaires terriens, et fondèrent des coopératives, dans lesquelles les gens partageaient les terres et ce qu'ils produisaient.

LA LONGUE MARCHE

De 1934 à 1935, les communistes chinois, menés par Mao Zedong, s'échappèrent audacieusement de terres encerclées par leurs ennemis. Ils parcoururent 9 600 km à pied, traversant des campagnes sauvages, du sud-est au nord-ouest de la Chine. Les communistes prirent le pouvoir en Chine en 1949.

Plus de 100 000 communistes chinois participèrent à la Longue Marche.

CONTRÔLER LA PENSÉE

La Révolution culturelle faisait partie de la révolution communiste. Elle fut amorcée par le dirigeant communiste chinois Mao Zedong en 1966. Il voulait contrôler la façon de vivre, de travailler et de penser des gens. Jusqu'en 1976 (à la mort de Mao), les écoles et les universités étaient fermées, et les professeurs et les intellectuels étaient obligés de travailler dans des fermes.

Les gardes rouges étudiaient les « pensées » de Mao, écrites dans un petit livre rouge.

La Révolution culturelle était propagée par les gardes rouges, des jeunes gens qui étaient des communistes fervents.

Jeunes communistes pendant la Révolution culturelle.

C'EST INCROYABLE !

★ Une partie de la Longue Marche se déroula pendant un rigoureux hiver, et les marcheurs avaient peu de nourriture. Les conditions étaient si difficiles que seul un marcheur sur dix survécut.

La Longue Marche dura plus d'un an.

Les marcheurs traversaient des régions gouvernées par leurs ennemis et risquaient de se faire attaquer.

Le dirigeant communiste révolutionnaire Lénine, faisant un discours sur la place Rouge, à Moscou, le 7 novembre 1918.

LA RÉVOLUTION RUSSE

En 1917, les communistes, les ouvriers et les soldats provoquèrent de violentes émeutes à Saint-Pétersbourg. Les manifestants voulaient un nouveau gouvernement plus juste. En 1918, les communistes tuèrent la famille impériale russe. Une guerre civile se déclencha. Les communistes gagnèrent en 1922, et la Russie devint une nouvelle nation appelée l'URSS, l'Union des républiques socialistes soviétiques. Depuis 1991, l'URSS n'existe plus ; elle a été remplacée par la Communauté des États indépendants (ou la CEI).

LA GUERRE FROIDE

À partir de 1945, l'URSS et les États-Unis devinrent des ennemis. L'URSS croyait au contrôle de l'État et au communisme. Les États-Unis croyaient à l'économie de marché et à la liberté d'expression. Cette division a mené à la « guerre froide », une guerre sans combat. Les pays se « battaient » en accumulant des armes nucléaires et en soutenant des guerres dans de plus petits pays, comme Cuba (1961-1962) et le Vietnam (1964-1975). La guerre froide se termina en 1989.

Soldats américains à Saigon, au Vietnam, en 1968.

Communistes pendant la Longue Marche, 1934-1935.

POUR EN SAVOIR PLUS
LES ENFANTS DU MONDE :
la Chine, la Russie

Les changements de notre monde

La vie des hommes a connu des bouleversements tout au long de l'histoire, mais les plus grands changements ont eu lieu dans les dernières décennies.

Avant la Deuxième Guerre mondiale, certains pays européens possédaient des colonies en Asie du Sud-Est, en Afrique, en Amérique centrale et en Amérique du Sud, dans les Caraïbes et dans le Pacifique. Depuis 1947, beaucoup de ces colonies sont devenues indépendantes et se gouvernent elles-mêmes. Dans certains pays, l'indépendance n'a été gagnée qu'au prix d'une lutte sanglante, et la vie pour certains de ces nouveaux pays a été difficile.

FÊTES NATIONALES

En Asie du Sud-Est, la Birmanie (appelée aujourd'hui Myanmar) devint indépendante de l'Angleterre en 1948. Singapour et la Malaisi gagnèrent leur indépendance en 1957. Ces pays, et beaucoup d'autres nouvelles nations, célèbrent chaque année leur fête nationale, marquant la date de leur indépendance.

Certains bâtiments *officiels ont été construits lorsque les Anglais gouvernaient Singapour.*

Des danses *traditionnelles font parfois partie du défilé de la fête nationale.*

Célébration de la fête national à Singapour, qui a lieu le 9 août de chaque anné

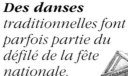

Les journaux *nous informent sur ce qui se passe partout dans le monde.*

Lire les journaux pour rester bien informé. L'histoire se construit chaque jour.

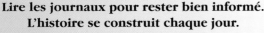

Le drapeau de Singapour a été créé au moment de son indépendance.

DE NOUVEAUX PROBLÈMES

Beaucoup de nouvelles nations ont été confrontées à des difficultés. Elles ont dû construire de nouvelles routes, des usines, des hôpitaux et des écoles. Certaines ont dû faire face à des sécheresses ou à des inondations. Parfois des dirigeants rivaux se sont querellés, provoquant des guerres civiles. Cependant, les nouvelles nations ont survécu, et certaines d'entre elles sont devenues prospères grâce au commerce.

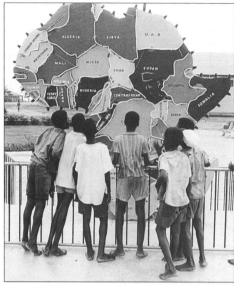

Des enfants du Ghana devenu récemment indépendant regardent une carte des pays d'Afrique, en 1957.

Les membres du gouvernement regardent le défilé du jour de la fête nationale.

Les gens plus âgés se souviennent parfois de l'époque qui précédait l'indépendance de leur pays.

MAINTENIR LA PAIX

L'Organisation des Nations unies (l'ONU) a été fondée en 1945 pour maintenir la paix internationale, et pour tenter de résoudre les problèmes sans faire la guerre. Aujourd'hui, la plupart des pays indépendants en sont membres.

Soldat des Nations unies en Somalie, Afrique, en 1992.

Les enfants aiment participer aux célébrations de la fête nationale.

DEVENIR INDÉPENDANT

Depuis 1947, année où l'Inde et le Pakistan devinrent indépendants de l'Angleterre, beaucoup de nations sont devenues indépendantes et se gouvernent elles-mêmes.

Le drapeau indien, hissé le jour de l'indépendance, en 1947.

POUR EN SAVOIR PLUS
LES SITES CÉLÈBRES : les Nations unies
LES PERSONNAGES CÉLÈBRES :
les dirigeants des nations

Glossaire des mots-clés

Ancêtre : membre de la famille ou de la race d'une personne qui a vécu plusieurs générations dans le passé.

Arme nucléaire : arme explosive extrêmement puissante, comme une bombe atomique.

Astrolabe : instrument utilisé autrefois par les savants et les marins pour déterminer la position du Soleil et des étoiles dans le ciel.

Astronome : savant qui étudie le mouvement des objets dans l'espace.

Bouddhiste : personne qui suit l'enseignement de Bouddha, le fondateur d'une religion, qui vécut d'environ 563 à 483 avant J.-C.

Cachot : une prison souterraine.

Chrétien : personne qui suit l'enseignement de Jésus-Christ, fondateur du christianisme, qui vécut au Moyen-Orient des années 1 à 33 environ.

Citoyen : personne née dans un pays, ou acceptée comme membre de ce pays, qui doit obéir à ses lois et qui est protégée par elles.

Civilisation : société avec ses propres lois, coutumes, croyances et traditions artistiques.

Colonie : pays gouverné par un autre pays.

Conquérir : prendre un pays par la force.

Coutume : façon de se comporter qu'un groupe particulier de personnes pratique depuis longtemps.

Empire : ensemble de pays, d'États ou de peuples gouvernés par un empereur, une impératrice ou un autre puissant souverain.

Excavation : une zone de terrain creusé dans le but d'y trouver des objets ou des bâtiments du passé.

Forteresse : bâtiment renforcé, habituellement habité par des soldats, utilisé pour protéger un endroit ou des gens d'éventuelles attaques.

Gladiateur : Romain de l'Antiquité qui se battait, souvent jusqu'à la mort, contre un autre homme ou une bête sauvage dans une arène publique.

Guerre civile : guerre entre personnes vivant dans le même pays.

Hindou : adepte de l'hindouisme, une religion basée sur les écrits sacrés de l'Inde antique.

Indépendant : un pays indépendant est un pays gouverné par son propre gouvernement.

Intellectuel : personne qui passe sa vie à apprendre et à enseigner.

Manuscrit : copie originale d'un livre ou d'un document, souvent écrite à la main.

Médiéval : issu du Moyen Âge, période historique située entre les années 501 à 1500.

Minaret : tour d'une mosquée, d'où les gens sont appelés à la prière.

Monastère : endroit où des moines vivent en communauté religieuse.

Musulman : adepte de l'islam, une religion basée sur les enseignements du prophète Mahomet, qui vécut en Arabie des années 570 à 632 environ.

Noble : personne avec un titre, comme un duc, ou issue d'une famille aristocratique.

Nomade : personne qui se déplace selon les saisons, et qui n'a pas de maison fixe.

Olmèques : peuple qui s'installa sur la côte est du Mexique d'environ 1200 à 400 avant J.-C.

Plantation : type de ferme où une seule plante, comme la canne à sucre, le café ou le coton, est cultivée. Dans le passé les esclaves étaient souvent obligés de travailler dans des plantations.

Préserver : protéger de dégâts éventuels ou de la pourriture, comme par exemple momifier un corps.

Religion : ensemble de croyances qui tente d'expliquer toutes choses, et qui accepte en général l'existence d'un dieu ou de dieux à l'origine de toute vie.

Révolution : changement radical dans la façon de faire les choses, comme lors de la révolution industrielle, ou dans le gouvernement d'un pays, comme la révolution russe.

Sacrifice : offrande d'une plante, d'un animal ou d'une vie humaine à des dieux.

Scanner : machine qui produit des images détaillées de l'intérieur d'un corps à l'aide de la technologie informatique.

Souverain : dirigeant suprême, comme un roi, une reine ou un sultan.

Sultan : souverain d'un pays islamique.

Taxe : argent prélevé par un gouvernement ou un dirigeant pour lui permettre de gouverner son pays.

Terre cuite : glaise marron-rouge que l'on cuit pour faire de la poterie.

Toltèques : peuple qui établit un empire au Mexique entre les années 900 et 1100.

Tribu : groupe de personnes descendant des mêmes ancêtres, et souvent du même chef.

Index

Remerciements

AUTEUR
Fiona MacDonald

TRADUCTION FRANÇAISE
Frédéric Haydar

CONSEILLER POUR L'HISTOIRE ANCIENNE
Jane Shutter BA (Hons), PGCE, a écrit divers livres d'histoire, traitant d'une grande variété de sujets. Vivant en Angleterre, elle a aussi rempli la fonction de consultante en histoire, et a édité nombre de publications.

CONSEILLERS ÉDUCATIFS
Lois Eskin, BSc, conseillère en édition, spécialisée dans l'organisation, la recherche et la programmation d'ouvrages éducatifs.
Kurt W. Fischer, PhD, professeur à la Harvard Graduate School of Education.

CONSEILLERS INTERNATIONAUX
Pamela Katherina Decho, BA (Hns), conseillère éditoriale pour l'Amérique latine.
Zahara Wan, conseiller éditorial pour l'Asie du Sud-Est.
Mighua Zhao, PhD, MSc, MA, BA, conseiller éditorial pour la Chine et l'Asie de l'Est.

ILLUSTRATEURS
Stephen Conlin, Peter Dennis, Luigi Galante, Christian Hook, Andre Hrydziusko, John James, Nicki Palin, Eric Robson, Mike Saunders, Michael Welply, Paul Wright. Mise en couleur Disney : Neil Rigby. Encrage Disney : Alessandro Zemolin

DIRECTION ARTISTIQUE DISNEY POUR CET OUVRAGE
Fernando Guell
Remerciements particuliers à Michael Horowitz et Carson Van Osten

PHOTOGRAPHIES D'AGENCES
13 Werner Forman Archive (WFA)/Toni Ralph Collection, New York ; 15 WFA/E.Strouhal ; 17 Ann & Bury Peerless ; 19 Sheridan/ Ancient Art & Architecture Collection ; 20 Corbis/Bettmann ; 22 Alexander Tsiaras/Science Photo Library ; 23 WFA/National Museum of Anthropology, Mexico ; 25 E.T.Archive ; 26 & 27 Robert Harding Picture Library ; 29l N J Saunders,29r WFA/British Museum, London ; 31l E.T.Archive/British Library, 31r E.T.Archive/ Bibliotheque Nationale, Paris ; 33t The Bridgeman Art Library, 33b Robert Harding Picture Library ; 35 Werner Forman Archive ; 36t WFA courtesy Entwistle Gallery, London, 36b WFA/British Museum, London ; 39 WFA/Asantehene of Kumasi ; 41 WFA/ Maxwell Museum of Anthropology Albuquerque, NM ; 42 Jonathan Blair/Corbis ; 45t E.T. Archive, 45b The Bridgeman Art Library ; 47 Museum of the City of New York/Corbis ; 48 The Bridgeman Art Library ; 51 Peter Newark's Military Pictures ; 53t Topham Picturepoint, 53b Tim Page/Corbis ; 55t Rex Features Ltd, 55b Chris Rainier/Corbis.

PHOTOGRAPHIES D'ENFANTS
Ray Moller

DIRECTEUR DE PROJET - DISNEY
Remerciements particuliers à Cally Chambers